CW00970648

A BENEDETTA

MARCONDIRONDELLO

i canti per bambini nella tradizione popolare italiana

illustrati da
Luisella Guerci

GIUNTI Junior

LIBRI PER CANTARE

Testi musicati con audiocassetta

LE PIÙ BELLE NINNE NANNE DEL MONDO

MARCONDIRONDELLO

BUON NATALE

CANTI REGIONALI ITALIANI

GIROGIROTONDO

FILASTROCCHE PER CANTARE

IL TRENO

I TRE PORCELLINI

www.giunti.it

Via Bolognese, 165 - 50139 Firenze - Italia
Via Dante, 4 - 20121 Milano - Italia

Ristampa	Anno
6 5 4 3 2 1 0	2013 2012 2011 2010 2009

Stampato presso Giunti Industrie Grafiche S.p.A. – Stabilimento di Prato

Ci sono libri che fanno pensare e libri che fanno sognare. Questo, invece, è un libro che fa cantare.

È destinato ai bambini, certo, ma anche ai « grandi » – ai genitori, ai nonni, ai parenti, ai docenti – a tutte le persone, insomma, che con la parola e l'esempio hanno qualcosa da dire e da dare ai più piccoli.

Le canzoni raccolte in questo libro non hanno età e non passano di moda.

Chi non conosce, infatti, il motivo di « Fra Martino campanaro », che sembra un allegro concerto di campane nell'aria tersa del mattino?

In Francia si chiama « Frère Jacques », in Germania « Bruder Jacob », lo cantano i bambini di Spagna, d'Olanda e della Scandinavia: ogni mamma e ogni papà lo hanno cantato da bambini e l'hanno poi insegnato ai loro figli; e non ha alcuna importanza sapere se sia d'origine italiana o francese. È nato dall'anima stessa del popolo. Quando? Non si sa. Potrebbe perfino avere un suo remoto antefatto nelle canzoni che i trovatori provenzali cantavano nelle piazze dei villaggi; non appartiene più a nessuno perché è di tutti.

Lo stesso vale per le figlie di madama Doré, questa *madame* madre di molte figlie, tutte belle, e la più bella destinata a sposare il figlio di un re.

dedica

Ogni bambina, cantando questa canzone, recita una parte; ognuna si sente figlia di madama Doré e spera d'essere la più bella per andare sposa in terra lontana.

Scettica e perfino cinica la vicenda amorosa della « formicuzza » per un povero grillo che « nel porgerle l'anello » cadde e « si ruppe il cervello »; e degna di una sinfonia rusticana, in un crescendo di accenti e di note, la descrizione della fiera di mastro André.

La raccolta si conclude con la dolce nenia del « Tu scendi dalle stelle » – famosa come la tedesca *Heilige Nacht* – senza la quale, ancor oggi, in nessuna casa e in nessuna scuola sarebbe Natale.

Un libro per cantare, dunque, e da guardare per sognare di essere, ogni volta, « lui » o « lei », un protagonista di questa bella fiaba della vita.

Queste canzoni, come specifica il titolo, appartengono alla tradizione popolare italiana, perché sono quelle che hanno parole in lingua italiana e non dialettale, e quindi una più vasta risonanza. Sono lo specchio più autentico di un'età senza tramonto, il filo dorato che unisce i viventi ad un remoto passato e li congiungerà a un lontano futuro.

I motivi moderni passano di moda, invecchiano e muoiono; sono come fuochi d'artificio, belli ed effimeri.

Chi canta più le canzoni del primo « Zecchino d'Oro » o di altri festival per ragazzi? Erano un fatto di cronaca, piacevole ma di breve durata.

Queste antiche e briose cantilene, invece, sono storia; tutti

dedica

i « grandi » le sanno e tutti desiderano insegnarle e consegnarle ai « piccoli », come una personale eredità.

È così, d'altronde, o almeno anche così, che si trasmette il gusto, la fantasia, il carattere di un popolo; e più questo messaggio si diffonde, più le persone riconosceranno di avere qualcosa di bello, di buono, di vero in comune.

Da un castello a una città, da questa a una nazione, infine a più nazioni, all'Europa: e ben venga, e presto, il giorno in cui queste canzoni rispecchieranno l'animo di un popolo senza confini!

Intanto noi le riproponiamo, per la prima volta illustrate e corredate dallo spartito musicale, a una generazione destinata a varcare, ancora nella primavera degli anni, il non più lontano traguardo del Duemila.

Siamo certi che anche nell'era delle grandi avventure interplanetarie e delle sofisticate innovazioni elettroniche – accanto ai giocattoli robot e ai mini-mostri della cibernetica – non mancherà, in casa e a scuola, un festoso girotondo di bambini, un fresco e commovente coro di voci bianche, impegnato a chiamare per nome gli animali della vecchia fattoria o a scegliere, con una riverenza, la più bella fra le figlie di madama Doré.

E sarete proprio voi, cari bambini di oggi, i genitori di domani; così questo libro, in un prossimo futuro, vi sarà ancora più caro.

È ciò che si augura e spera chi ha scelto, illustrato e pubblicato per voi queste belle canzoni.

L'Editore

marcondirondello

Fra Martino campanaro dormi tu? dormi tu?
suona le campane suona le campane din don dan din don dan

nella vecchia fattoria

nella vecchia fattoria

Nella vecchia fattoria ia ia o
quante bestie ha zio Tobia ia ia o
c'è la capra capra ca ca capra
l'asinel nel nel nel nel
Nella vecchia fattoria ia ia o.

Tra le casse e i ferri rotti ia ia o
dove i topi son grassotti ia ia o
c'è un bel gatto gatto ga ga gatto
c'è la capra capra ca ca capra
l'asinel nel nel nel nel
Nella vecchia fattoria ia ia o.

Così grasso e tanto grosso ia ia o
sempre sporco a più non posso ia ia o
c'è il maiale iale ia ia iale
c'è un bel gatto gatto ga ga gatto
c'è la capra capra ca ca capra
l'asinel nel nel nel nel
Nella vecchia fattoria ia ia o.

Poi sull'argine di un fosso ia ia o
alle prese con un osso ia ia o
c'è un bel cane cane ca ca cane
c'è un maiale iale ia ia iale
c'è un bel gatto gatto ga ga gatto
c'è la capra capra ca ca capra
l'asinel nel nel nel nel
Nella vecchia fattoria ia ia o.

oh! che bel castello
OH! CHE BEL CAS TELLO MARCONDI RONDI RON DELLO OH! CHE
BEL CAS TELLO MARCON DI RONDIRON DÀ.
L. GUERCI

oh! che bel castello
Oh che bel castello – Marcondirondirondello
Oh che bel castello – Marcondirondirondà
Il mio è ancor più bello – Marcondirondirondello
Il mio è ancor più bello – Marcondirondirondà.
Noi lo ruberemo – Marcondirondirondello
Noi lo ruberemo – Marcondirondirondà.
Noi lo rifaremo – Marcondirondirondello
Noi lo rifaremo – Marcondirondirondà.
Noi lo bruceremo – Marcondirondirondello
Noi lo bruceremo – Marcondirondirondà.
Noi lo spegneremo – Marcondirondirondello
Noi lo spegneremo – Marcondirondirondà.

tre oche andavano a ber
TRE O CHE ANDAVA NO A BER TRE O CHEANDAVA NO A
BER AN DA VA NOABEREALLAFONTE DEL RE TRE O CHEDUEOCHE UN'
O CAUN'O CHI NAUN'OCHETTAAN DA VA NOABEREALLAFONTE DEL RE.

tre oche andavano a ber

Tre oche andavano a ber
tre oche andavano a ber
andavano a bere alla fonte del re.
Tre oche, due oche, un'oca, un'ochina, un'oché
andavano a bere alla fonte del re.

Quattro oche andavano a ber
Quattro oche andavano a ber
andavano a bere alla fonte del re.
Quattro oche, tre oche, due oche, un'oca, un'ochina, un'oché
andavano a ber alla fonte del re.

Cinque oche andavano a ber
Cinque oche andavano a ber
. . . .

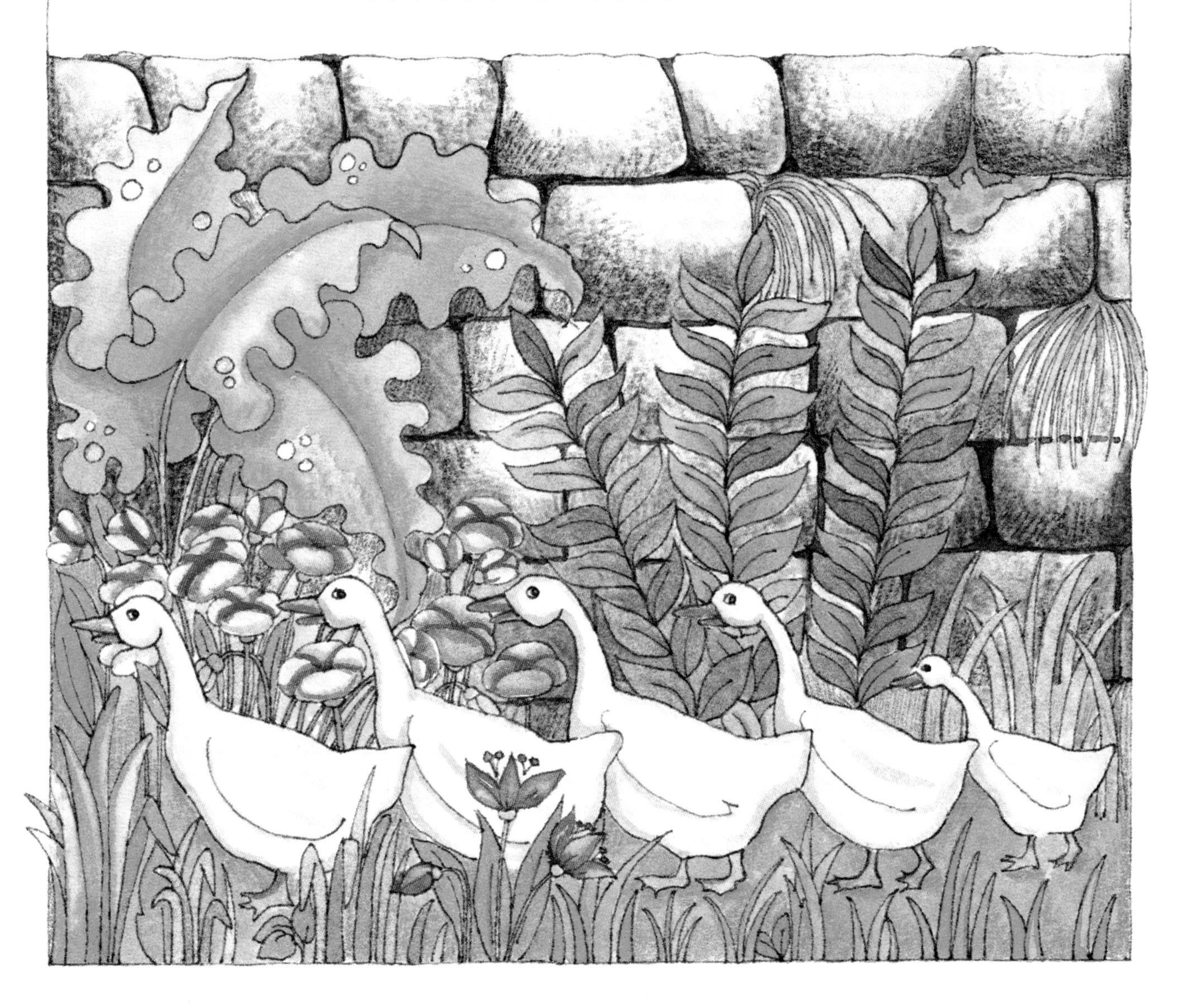

madama doré
OH QUANTE BEL LE FIGLIE MA
DA MA DO RÈ OH QUANTE BELLE FI
GLIE SE SON BEL LE ME LE TENGO MA
DA MA DO RÈ SE SON BELLE ME LE TEN
GO
L. GUERCI

Oh quante belle figlie Madama Doré
oh quante belle figlie
Son belle e me le tengo Madama Doré
son belle e me le tengo.
Il re ne domanda una Madama Doré
il re ne domanda una
Che cosa ne vuol fare Madama Doré
che cosa ne vuol fare.
La vuole maritare Madama Doré
la vuole maritare
Con chi la mariterebbe Madama Doré
con chi la mariterebbe.
Col figlio del re di Spagna Madama Doré
col figlio del re di Spagna
E come la vestirebbe Madama Doré
e come la vestirebbe.
Di rose e di viole Madama Doré
di rose e di viole
Scegliete la più bella Madama Doré
scegliete la più bella.
La più bella l'ho già scelta Madama Doré
la più bella l'ho già scelta
Allora vi saluto Madama Doré
allora vi saluto.

il merlo ha perso il becco
IL MERLOHA PER SOIL BEC CO COMEFARÀA BEC
CAR? IL MERLOHA PERSOILBEC CO COMEFA RÀ A BEC
CAR? IL MER LOHA PERSO IL BEC CO PO VERO MERLO
MI O IL MERLOHAPERSOIL BEC CO COMEFARÀA BEC CAR?

il merlo ha perso il becco

Il merlo ha perso il becco come farà a beccar?
Il merlo ha perso il becco come farà a beccar?
Il merlo ha perso il becco povero merlo mio
Il merlo ha perso il becco come farà a beccar?

Il merlo ha perso l'ala come farà a volar?
Il merlo ha perso l'ala come farà a volar?
Il merlo ha perso l'ala povero merlo mio
Il merlo ha perso l'ala come farà a volar?

Il merlo ha perso gli occhi come farà a guardar?
Il merlo ha perso gli occhi come farà a guardar?
Il merlo ha perso gli occhi povero merlo mio
Il merlo ha perso gli occhi come farà a guardar?

la rosina bella
E VER RÀ QUEL DI DI LU NE MI VOALMER CÀ A COM PRA LA
FU NE LU NE LA FU NE E FI NE NONA VRÀ E LA RO SI NA BEL LA IN SUL MER
CÀ, E LA RO SI NA BEL LA INSULMER CÀ.

la rosina bella

E verrà quel dì di lune,
mi vò al mercà a comprà la fune
lune la fune e fine non avrà
e la Rosina bella in sul mercà
e la Rosina bella in sul mercà.

E verrà quel dì di marte
mi vò al mercà a comprà le scarpe
marte le scarpe, lune la fune e fine non avrà
e la Rosina bella in sul mercà
e la Rosina bella in sul mercà.

E verrà quel dì di mercole
mi vò al mercà a comprà le nespole
mercole le nespole, marte le scarpe, lune la fune
e fine non avrà...

E verrà quel dì di giove
mi vò al mercà a comprà le ove
giove le ove...

E verrà quel dì di venere
mi vò al mercà a comprà la cenere
venere la cenere...

E verrà quel dì di sabato
mi vò al mercà a comprare l'abito
sabato l'abito...

E verrà quel dì di festa
mi vò al mercà a comprà la vesta
festa la vesta...

la formicuzza
E C'E RAUNGRILLO IN UN CAMPO DI LI NO LA FOR MI CUZ ZA NE
CHIE SE UN PO CHETTI NO LA RI CIUM BA LA LIL LA LE RO LA RI CIUMBA LA LILLALA`
L. GUERCI

la formicuzza

E c'era un grillo in un campo di lino
la formicuzza ne chiese un pochettino.
Lariciumbalalillallero, lariciumbalalillallà.

Disse lo grillo: « Che cosa ne vuoi fare? »
« Calze e camicia; mi voglio maritare ».
Lariciumbalalillallero, lariciumbalalillallà.

Disse lo grillo: « Lo sposo sono io ».
E lei gli dice: « Son contenta anch'io ».
Lariciumbalalillallero, lariciumbalalillallà.

Entrano in chiesa; nel porgergli l'anello
cadde lo grillo e si ruppe il cervello.
Lariciumbalalillallero, lariciumbalalillallà.

La formicuzza, con suo grande dolore
prese una zampa e se la strinse al cuore.
Lariciumbalalillallero, laliciumbalalillallà.

Sono le otto, presso ai confin del mare
si sente dire che il grillo stava male.
Lariciumbalalillallero, lariciumbalalillallà.

Sono le nove, presso ai confin del porto
si sente dire che il grillo è bello e morto.
Lariciumbalalillallero, lariciumbalalillallà.

Sono le dieci, presso ai confin del prato
si sente dire che il grillo è sotterrato.
Lariciumbalalillallero, lariciumbalalillallà.

E suona il tocco, presso ai confin del riso
si sente dire che il grillo è in paradiso.
Lariciumbalalillallero, lariciumbalalillallà.

La formicuzza ne prova dispiacere
va in cantina a berne un bicchiere.
Lariciumbalalillallero, lariciumbalalillallà.

la santa caterina
LA SAN TA CA TE RI NA PI RU LIN PI RU LIN PI RU LIN ZUM ZUM
E RA FI GLIA DI UN RE, E RA FI GLIA DI UN
RE, E RA FI GLIA DI UN RE.
L. GUERCI

la santa caterina

La Santa Caterina
pirulin pirulin pirulin zum zum (tutto 2 volte)
era figlia di un re, di un re, di un re.

Suo padre era pagano
pirulin pirulin pirulin zum zum (tutto 2 volte)
sua madre invece no, oh oh, oh oh.

Un dì mentre pregava
pirulin pirulin pirulin zum zum (tutto 2 volte)
suo padre la scoprì, ih ih, ih ih.

Che fai o Caterina
. . . .

in quella posa lì...

Io prego Iddio mio padre
. . . .

che non conosci tu.
. . . .

Alzati o Caterina
. . . .

se no ti ucciderò.
. . . .

Uccidimi tu pure
. . . .

che io non m'alzerò.
. . . .

Al colmo del furore
. . . .

suo padre la colpì.
. . . .

E gli angeli del cielo
. . . .

cantaron « Gloria ».
. . . .

la pecora è nel bosco
LA PE CO RAÈ NELBOS CO BUM! LA PE CO RAÈ NEL BOS CO
BUM! LA PECO RAÈNEL BOSCO LE RIL LE RIL LE LE RA LA
PE CO RAÈNELBOSCO LE RIL LERIL LE RÀ.

la pecora è nel bosco

La pecora è nel bosco bum! (bis)
La pecora è nel bosco
Lerillerillelera
La pecora è nel bosco
Lerillerillerà.

Vogliam vedere il bosco bum! (bis)
Vogliam vedere il bosco
Lerillerillelera
Vogliam vedere il bosco
Lerillerillerà.

Il fuoco l'ha bruciato bum...

Vogliam vedere il fuoco bum...

L'acqua l'ha spento bum...

Il bue l'ha bevuta bum...

Vogliam vedere il bue bum...

Michele l'ha ucciso bum...

Vogliam veder Michele bum...

alla fiera di mastro andré
ALLA FIERA DI MASTROANDRÈ OGGI HO COMPRATO UN TAMBU RIELLO TU RU TU
TUM LO TAMBU RIELLO TU RU TU TUM LO TAMBU RIELLO ALA MI RÈ ALA MI
RÈ ALLA FIERA DI MASTRANDRÈ ALA MI RÈ ALA MI RÈ ALLA
FIERA DI MASTRAN DRÈ.

alla fiera di mastro andré

Alla fiera di mastro André oggi ho comprato un tamburiello
turu tu tum lo tamburiello turututum lo tamburiello
alamiré alamiré alla fiera di mastr'André
alamiré alamiré alla fiera di mastr'André.

Alla fiera di mastro André oggi ho comprato un piffariello
piri pipi lo piffariello, turututum lo tamburiello
alamiré alamiré...

Alla fiera di mastro André oggi ho comprato una viola
zum zum zum zum una viola piri pi pi lo piffariello
turututum lo tamburiello
alamiré alamiré...

Alla fiera di mastro André oggi ho comprato un trombone
popopo popo un trombone zum zum zum zum una viola
piri pi pi lo piffariello turututum lo tamburiello
alamiré alamiré...

la canzone del cuculo
U DIAMNELLA FO RE STA IL CU CU LO CAN TAR AI
PIE DI DI UNA QUERCIA LO STIA MO ADASCOLTAR CU CU CU
CU CU CU CU CU CU CU CU CU CU CU CU CUCU CUCU CU

la canzone del cuculo

Udiam nella foresta il cuculo cantar.
Ai piedi di una quercia lo stiamo ad ascoltar.
Cu-cu cu-cu cu-cu cu-cu cu-cu cu-cu cu-cu cu-cu cu-cu cu-cu...

La notte è tenebrosa
non c'è chiaror lunar.
Sentiam nel fitto bosco
i lupi ad ulular:
Ahu ahu ahu ahu...

Dalle lontane steppe
sentiam fin quaggiù
rispondere alle renne
gli allegri caribù:
bau bau bau bau...

il pollaio
IL GALLOELAGAL LI NAVANLEO CHEAVISI TAR CA RISSI MEVI
CI NESIAMQUI PERDESI NAR AL FUOCO DELTE GA MECI DI TE COSA
C'È AB BIAMO TANTA FA MECO CO CO CO CO DE'.

il pollaio

Il gallo e la gallina van le oche a visitar
Carissime vicine siam qui per desinar
al fuoco del tegame ci dite cosa c'è
abbiamo tanta fame co-co co-co co-dè.

Rispondono le ochette: « Abbiamo un consommé
di vermi e cavallette degnissime di un re
ed una succulenta frittata si farà
a pezzi la polenta qua qua qua qua qua qua».

E dopo aver mangiato rispose il gallo Fé:
«Andiamo in mezzo a un prato a bere un buon caffè
là ci sarà offerto dai musici di qui un ottimo concerto
chi chi chi ri chi chi».

E giunse un asinello gridando: « Sono qui!
Vi porto un bel cestello di bisce già in salmì »
Gridaron tutti quanti: «Che festa si farà!
poiché saremo in tanti tara tara tata».

Così tutti i compari, finito il consommé
andarono al concerto, concerto dei bebé.
E tutti allegramente cantando se ne van
«Evviva l'amicizia che divertir ci fa».

è arrivato l'ambasciatore

è arrivato l'ambasciatore

È arrivato l'ambasciatore.
Tanti rulirulirula
È arrivato l'ambasciatore.
Tanti rulirulà.

Cosa vuole l'ambasciatore?
Tanti rulirulirula
Cosa vuole l'ambasciatore?
Tanti rulirulà.

Egli cerca una bella bimba.
Tanti rulirulirula
Egli cerca una bella bimba.
Tanti rulirulà.

Ecco qui la bella bimba.
Tanti rulirulirula
Ecco qui la bella bimba.
Tanti rulirulà.

stella stellina
STEL LASTEL LI NA, LA NOTTESÀVVI CI NA, LA FIAM MATRA BALLA LA MUC CAÈNELLA
MUCCAEILVI TEL LO, LA PE CO RAELA GNELLO LA CHIOCCIAEILPULCINO, O GNUNOHAILSUO BAM
STAL LA, LA
BI NO, O GNUNOHALASUAMAMMA E TUT TI FAN LA NANNA.

stella stellina

Stella stellina
la notte s'avvicina
la fiamma traballa
la mucca è nella stalla
la mucca e il vitello
la pecora e l'agnello
la chioccia e il pulcino
ognuno ha il suo bambino
ognuno ha la sua mamma
e tutti fan la nanna.

io son contadinella
IO SONCONTA DI NELLA AL LA CAMPAGNA BELLA SE FOS SIU NA RE
GI NA SA REI IN CO RO NATA MA SO NOCONTA DI NA AI CAMPIALAVO
RAR E CINQUE CENTO CA VA LIE RI CON LA TESTA IN SAN GUI
E SO NO SO NO LE CI LIE GE E SONO SO NO LE CI
NA TA, CON LA SPA DA RO VI NA TA IN DO VI NA CHE CO S'È?
LIE GE E SONO SO NO LE CI LIE GE CHE MA TU RA NO IN GIARDIN!
E TI RA E MOLLA E MOLLA E TI RA E TI RA E MOLLA E LASCIAN DAR!

io son contadinella

Io son contadinella
alla campagna bella
se fossi una regina
sarei incoronata
ma sono contadina
ai campi a lavorar

E cinquecento cavalieri con la testa insanguinata
con la spada rovinata, indovina che cos'è?

E sono sono le ciliege, e sono sono le ciliege
e sono sono le ciliege che maturano in giardin!

E tira e molla e molla e tira
e tira e molla e lascia andar!

la battaglia di magenta

la battaglia di magenta

L'era un bel dì la battaglia di Magenta
che bel veder cavalcare i cavalieri
cavalieri! al passo! al trotto! al galoppo!
con una mano!

L'era un bel dì la battaglia di Magenta
che bel veder cavalcare i cavalieri
cavalieri! al passo! al trotto! al galoppo!
con una mano! con due mani!

L'era un bel dì ...
con una mano! con due mani! con un piede!

L'era un bel dì ...
con una mano! con due mani! con un [piede! con due piedi

L'era un bel dì ...
con una mano! con due mani! con un [piede! con due piedi!
con la testa!

maria lavava
MA RI A LA VA VA GIU SEPPE STEN DE VA SUO FI GLIO PIANGE VA DAL
FREDDO CHE AVE VA STA ZITTO MIO FI GLIO CHE ADESSO TI PI GLIO PA NE NON
HO, MA LATTE TI DA RÒ.

maria lavava

Maria lavava Giuseppe stendeva
suo figlio piangeva dal freddo che aveva.
Sta zitto mio figlio che adesso ti piglio
pane non ho, ma latte ti darò.

La neve sui monti cadeva dal cielo
Maria col suo velo copriva Gesù.
Sta zitto mio figlio che adesso ti piglio
pane non ho, ma latte ti darò.

bambino nella culla

bambino nella culla

Uno, uno, bambino nella culla
la luna e il sol
chi ha creato il mondo è stato il Signor
è stato il Signor.
Due, due, l'asino e il bue bambino nella culla
la luna e il sol
chi ha creato il mondo è stato il Signor
è stato il Signor.
Tre, tre, i Santi tre Re Magi...
Quattro, quattro, i quattro Evangelisti...
Cinque, cinque, i cinque precetti...
Sei, sei, i sei gatti della Madonna...
Sette, sette, i sette Sacramenti...
Otto, otto, gli otto porton di Roma...
Nove, nove, i nove Cori angelici...
Dieci, dieci, i dieci Comandamenti...

tu scendi dalle stelle
TU SCEN DI DAL LE STEL-LE, O RE DELCIE LO, E
VIE NIINU NA GROT TA, AL FRED DOEALGE LO. E VIENIINU NA
GROT TA AL FRED DOEALGE LO. O BAM BI NO MI O DI VI NO, I O TI
VE DO QUI A TRE MAR. O DI O BEA TO! OH, QUANTO TI COS
TO' L'A VER MIAMA TO! OH, QUANTO TI COS TO' L'A
VER MIAMA TO.

Tu scendi dalle stelle o re del cielo
e vieni in una grotta al freddo e al gelo
e vieni in una grotta al freddo e al gelo.

O bambino mio divino io ti vedo qui a tremar
o Dio beato! Oh quanto ti costò l'avermi amato
Oh quanto ti costò l'avermi amato.

A te che sei del mondo il Creatore
il fuoco e i panni mancan mio Signore. (bis)

Caro eletto pargoletto quanto questa povertà
più m'innamora!
Poiché ti fece, amor, povero ancora. (bis)

L'inverno se ne è andato
la neve non c'è più
è ritornato maggio
al canto del cu-cu.
cu-cu cu-cu
l'inverno non c'è più
è ritornato maggio
al canto del cu-cu.
cu-cu cu-cu
l'inverno non c'è più
è ritornato maggio
al canto del cu-cu.

indice

note

note

note

note